INCÊNDIO NO MUSEU

Editorial
Selma Corrêa
Tais Faccioli Ribeiro Vilariño

Administrativo
José Alves Pinto

Revisão
Max Leone

Diagramação
Alexandre Ostan

Projeto gráfico
Colli Books

Edição e Publicação
Colli Books

Dados Internacionais de Catalogação na Publicação (CIP)

(BENITEZ Catalogação Ass. Editorial, MS, Brasil)

C672d Colli, Isa
1.ed. Incêndio no museu / isa Colli; ilustração de Alexandre Ostan. – 1 ed. – Brasília, DF : Colli Books, 2021

48p.; il. 14 x 21cm

ISBN: 978-65-86522-69-3

1. Literatura infantil. I. Ostan, Alexandre. II. Título.

01-2021/55
CDD 028.5

Índice para catálogo sistemático:
1. Literatura infantil 028.5

Bibliotecária responsável:
Aline Graziele Benitez CRB-1/3129

LED Águas Claras
QS 1 Rua 210, Lotes 33/36 | Salas T2-0804-0805-0806 |
Águas Claras | Brasília – DF | CEP 71950-770
E-mail: general@collibooks.com | www.collibooks.com

INCÊNDIO NO MUSEU

ISA COLLI

ILUSTRAÇÕES: OSTAN

Sumário

Dedicatória

Dedico este trabalho primeiramente a Deus, o alicerce da minha vida, pois sem Ele minhas ideias não passariam de ideias.

Aos meus pais, não somente por me concederem o milagre da vida, mas por serem meus mestres e orientadores na formação do meu caráter, ensinando-me a viver com princípios, dignidade e respeito ao próximo.

Aos meus filhos Valdeir e Philip, por permitirem a materialização das melhores emoções da minha vida e me fazerem descobrir o verdadeiro sentido da existência humana. Através deles, percebi que ser mãe vai muito além da poesia. Eles encheram meu coração de alegria! O abrir dos olhinhos, as primeiras e incertas passadas, o sussurrar das primeiras letras... Ah, ser mãe desses garotos lindos - toda mãe acha os seus filhos lindos - é inundar-se de alegria todos os dias e viver mergulhada em um mundo de ricas aventuras.

A José Alves, meu esposo, que faz todo o possível para me ajudar, acompanhando-me e apoiando-me nos momentos mais difíceis da minha vida, expressando o seu amor, fazendo-me um imenso bem pessoal.

E por último, quero agradecer a todas as pessoas que contribuíram de forma direta ou indireta para o sucesso da minha trajetória. Sem vocês nada seria possível.

Muito obrigada por tudo.

Isa Colli

1
Antes do Incêndio

Domingo, mais um dia de temperatura alta no Rio de Janeiro. O céu estava tão azul que parecia a extensão do mar, ali próximo.

Pássaros de várias espécies sobrevoam a Cidade Maravilhosa em uma sincronia perfeita. Era lindo observar de vez em quando a passagem de um bando de aves migratórias que, de modo organizado, mergulhavam nas nuvens deixando rastos no horizonte como se fossem aeronaves.

O sol sorria. Parecia saber algum segredo. Na verdade, ele sabia. Observava atentamente o Jardim Zoológico quando viu a movimentação de Lincoln, um chimpanzé célebre, que nas eleições para prefeito do Rio de Janeiro, em 1988, teve a incrível quantidade de 400 mil votos. Criado por um antigo tratador, ele andava livremente por lá desde que nascera, ajudando a tratar dos outros animais. Mas, depois que cresceu, os humanos resolveram enjaulá-lo. Ele perdeu a docilidade e ficou famoso por seu temperamento difícil, considerado "mal-humorado", e pelo costume de atirar excrementos e lama em visitantes, especialmente em políticos, que mantinham distância, pois ele era um animal grande e muito forte.

Ele planejava há tempos uma fuga em massa. Essa seria uma atitude ousada e arriscada, mas queria fazer algo de

bom para seus companheiros e achava que seria muito melhor voltar a viver livremente como antes. No entanto, precisava planejar bem, pois havia animais de todos os tipos e tamanhos, com limitações próprias.

Lincoln era o bicho que estava há mais tempo no zoológico, e sentia-se responsável por todos os outros. Então, pensava, pensava e pensava: como transportar os peixes que não podem viver fora d'água? E a girafa Amélia, com aquele pescoço imenso, desengonçada para correr? Daria bandeira demais! E o pavão Vaidoso? Certamente, abriria suas penas só para se exibir e mostrar que era valente e destemido. "Não vai ser uma tarefa fácil" — ele pensava. "Mas não é impossível. Merecemos melhores condições de vida. Vamos lutar até o fim por dignidade" — afirmava a si mesmo.

Todos os passos foram planejados com extrema precisão. Lincoln dormiu para descansar um pouco e ficar disposto para o grande momento.

Assim que os primeiros raios solares entraram através de sua jaula, ele despertou imediatamente, saltando ansioso de sua cama e agarrando-se às grades para observar se já havia movimento. No dia anterior, pegou no chão um grampo de cabelo que caíra da cabeça de alguma visitante descuidada e o guardou. Com paciência e destreza, usou-o para destravar a fechadura e abrir a porta, depois, foi de jaula em jaula testando todas as trancas. Sucesso total. Estava na hora de anunciar aos bichos que planejava uma fuga em massa.

Nessa manhã, enquanto os animais se preparavam para viver a aventura que se aproximava, tentavam se proteger do sol inclemente na pouca sombra propiciada pelo que restava do antes vasto e bem cuidado bosque. Dezenas de corvos sobrevoavam a área. Pareciam mensageiros de más notícias.

O zoológico, há tempos, estava precisando de reforma. Os animais estavam cansados de não ter um tratamento adequado. Faltava de tudo. Os funcionários, coitados, faziam o que podiam para manter o espaço, mas a falta de manutenção e de verbas para suprimentos de primeira necessidade estavam prejudicando o bem-estar de todos. E isso era o que mais preocupava Lincoln! Mas nem sempre foi assim. Da inauguração até poucos anos depois, o ambiente reproduzia uma verdadeira savana verdejante, com cervos, antas, capivaras, emas, tartarugas, girafas, elefantes, répteis, diversos tipos de peixes, como as moreias e outras espécies exóticas, lindas aves marinhas e muitos outros que viviam em harmonia e enchiam os olhos por conta da diversidade. As pessoas ficavam maravilhadas a cada visitação. Era um festival de fotos, sorrisos e memórias que guardavam no coração. Os animais eram bem tratados, o espaço muito limpo e cuidado. Nos últimos anos, infelizmente, o parque e os animais viviam absolutamente abandonados. Muita tristeza.

2
Assembleia da Fuga

Lincoln, no entanto, não se deixou abater com o suposto mau presságio da revoada de corvos e agilizou-se. Primeiramente, reuniu os pássaros, répteis e mamíferos. Os peixes estavam tristes, pois imaginavam que ficariam de fora. Estavam arrasados. Perguntavam-se:

— Por que não conseguimos respirar fora d'água? Isso é muito injusto. Mas Lincoln não os abandonaria, certamente, pensaria em algo para salvá-los também.

Instalado nos fundos da Quinta da Boa Vista, antiga residência da família imperial brasileira, o Jardim Zoológico estava em polvorosa. Uma mistura de medo, ansiedade e tensão invadia os corações dos bichos.

Macacos de várias espécies se reuniram e iniciaram uma assembleia para decidir o dia em que deixariam aquele espaço de vez. Não seria fácil, precisavam combinar tintim por tintim. A segurança de todos era a principal preocupação. Mas uma coisa eles sabiam: descaso não era uma sensação que aprovavam e tinham a certeza que mereciam mais do que isso.

Conversas daqui; palpites de lá e, de repente, Tico, um jovem mico-leão-dourado, chamou Lincoln de lado e lhe disse:

— Preciso compartilhar com você uma notícia nada agradável: não é apenas o nosso espaço que está abandonado. Ouvi uma conversa entre humanos, que trabalham no Museu Imperial e vieram visitar o zoológico, que me deixou muito preocupado. Fiquei assustado com o conteúdo da conversa deles e estou com mau

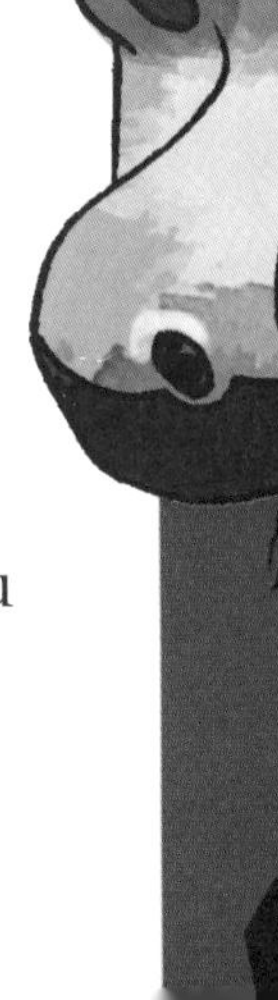

pressentimento. Até chequei as informações com minhas amigas sabiás, que sempre sobrevoam aquelas bandas e sabem de tudo.

— Que conversa? — perguntou a arara Canindé, interessada no assunto.

De repente, a bicharada toda estava em volta de Tico e Lincoln para acompanhar o papo. Os outros animais se juntaram para ouvir o que era tão importante e que preocupava tanto o colega.

— Bem — iniciou Tico — os visitantes disseram que pesquisadores e outros trabalhadores do museu temem que todo o acervo histórico seja extinto.

— Como assim? — perguntaram, a uma só voz, todos os animais, muito assustados.

— É que aquelas instalações históricas, que abrigam peças de milhares de anos, correm o risco de desabamento ou incêndio, por causa da falta de manutenção predial. Dizem que as instalações elétricas estão deterioradas há muito tempo.

— O quê? — questionou o hipopótamo, indignado. — Será que os humanos não sabem que quem negligencia a história comete um erro irreparável? Pensei que o descaso fosse apenas com o nosso espaço. Afinal de contas, o Museu Imperial é o quinto maior do mundo e não é possível que os homens não reconheçam sua importância.

Os animais que ali viviam eram muito espertos e atentos. Quando os funcionários do Museu Imperial faziam hora de almoço no zoológico, conversavam sobre tudo e eles acabavam escutando. Uns mais, outros menos, mas todos que por ali passeavam ouviram sobre os riscos reais da perda de um patrimônio mundial. Eles amavam o museu, mas se sentiam impotentes e vencidos pelo desânimo.

3

Cheiro de Fumaça

E não é que, infelizmente, Tico estava certo sobre seu pressentimento? Naquela mesma noite de domingo, começaram a sentir um forte cheiro de fumaça. Apavorados, perceberam que o temor dos funcionários do museu estava se cumprindo. O local estava em chamas e já havia muitas pessoas tentando apagar o fogo. Era mesmo uma tragédia anunciada.

Lincoln, um líder nato, meticulosamente, soltou todos os animais, que correram para ver o que

poderiam fazer
para conter o fogo.
Os macacos de todas as
espécies, muito espertos e ágeis,
foram convocados para retirar o maior
número de peças possíveis de dentro do museu.

— Peguem o que puderem e deixem bem longe do fogo — orientou o chimpanzé. — Depois, nossos amigos humanos decidem o que fazer. E sejam rápidos, ou teremos a maior tragédia com o patrimônio histórico deste país.

Os macacos entenderam o recado e, rapidamente, também foram verificar onde havia água e, outros animais, num grande mutirão, tiravam tudo que podiam tanto do primeiro quanto do segundo andar. No fundo, desejavam mesmo é que o próprio acervo criasse vida para se autodefender.

Mas já que isso não era possível, mãos à obra, que trabalho não faltava. A cena era emocionante: os elefantes usaram sua trombas como mangueiras para puxar a água do lago da Quinta da Boa Vista e despejar no museu, ajudando os bombeiros no combate ao fogo. Leões, rinocerontes e ursos usaram sua força para agilizar a entrada de carros-pipa, que também foram usado para debelar o incêndio.

A essa altura, a tragédia já estava sendo noticiada em toda a mídia. E as pessoas do mundo inteiro ficaram admiradas com o empenho dos animais, ditos irracionais, no que parecia uma força-tarefa para tentar salvar o Museu Imperial.

Animais e humanos estavam em frente aos escombros do museu quando escutaram Dona Araponga soltar um grito desesperado: — Corram, a Luzia está pegando fogo! E Dona Jabuti também corre perigo. Ela entrou para auxiliar, mas ainda não retornou.

4

Resgate da Luzia

Luzia era o fóssil mais antigo das Américas, um crânio semelhante aos negros africanos e aborígenes australianos. Já Dona Jabuti era uma senhora com mais de 90 anos que também resolveu dar sua contribuição.

O resgate da relíquia não seria nada fácil, pois Luzia estava dentro de uma caixa especial guardada no interior de um armário. Lincoln não pensou duas vezes e saiu correndo. Os bombeiros foram atrás dele para impedi-lo de entrar no museu, pois seria muito perigoso. As chamas estavam muito altas e a fumaça poderia intoxicá-lo seriamente. Mas ele, muito rápido, correu para dentro do museu em chamas.

A entrada do animal no prédio causou pânico geral. A bicharada tinha muito respeito pelo chimpanzé, mas acharam arriscada a decisão. Poderia morrer. Animais, bombeiros e população aguardavam ansiosos, quando, de repente, Lincoln aparece com Dona Jabuti nos braços.

Suavemente, o macaco ajeitou-a no chão. Bombeiros e médicos veterinários rapidamente começaram a agir. Ela estava com a respiração fraquinha, havia inalado muita fumaça. Tosse, tosse, tosse. Estava perdendo os sentidos.

A senhora Hiena chega rindo muito, afinal ela sempre ri de tudo, e muitos se perguntavam por quê ela ria tanto em meio a todo aquele caos. Pobre Hiena, mais um animal incompreendido, assim

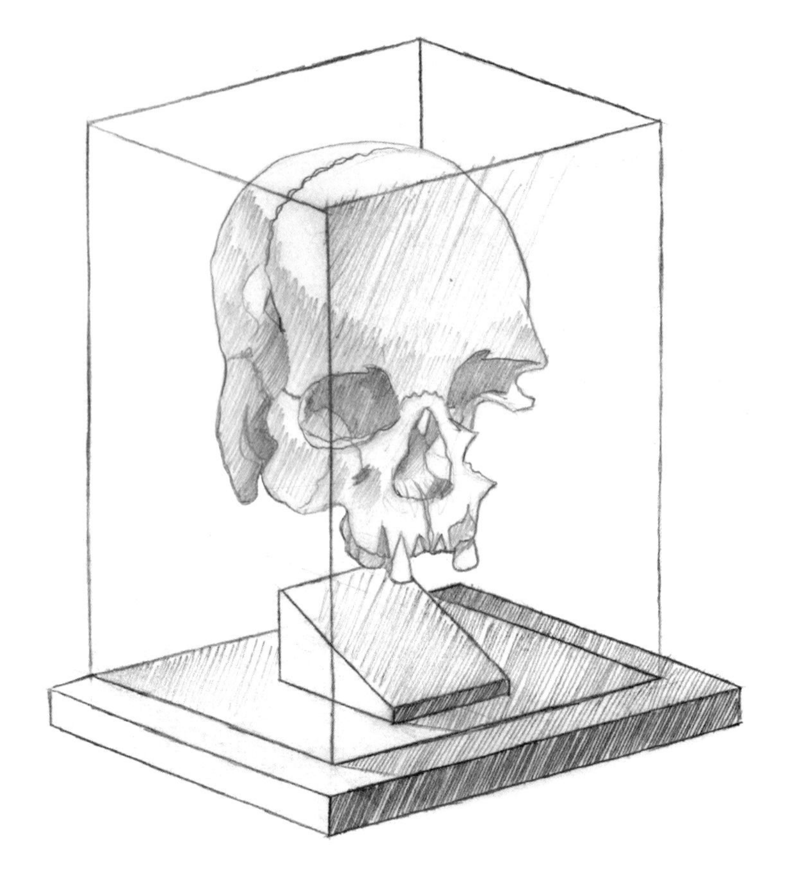

como Lincoln. Os humanos não entendiam que Dona Hiena ria de preocupação e nervoso! Assim, vendo toda aquela movimentação, pediu licença e aproximou-se de Dona Jabuti. Ela havia aprendido a fazer massagem cardíaca certa vez no zoológico, quando um grupo de estudantes fez um treinamento ao ar livre no zoo. Além do mais, Dona Jabuti era muito recatada, ficaria mais à vontade com os cuidados de sua melhor amiga. E assim foi feito.

Aos poucos foi recobrando a consciência e abriu os olhinhos. Tonta, falava frases desconexas. Achava que havia morrido e tinha ido ao inferno, por conta daquele fogo todo!

Mas logo se lembrou da tragédia e do motivo de estar ali. E deu um grito: — Luzia corre perigo!

E todos se lembraram de Lincoln, que retornara ao interior do museu e tentava salvar o crânio...

Bombeiros estavam à procura do chimpanzé quando o avistaram ao longe, de costas, em frente ao armário onde estava Luzia. Astuto que era, usou o grampo de cabelo, que já o ajudara anteriormente a abrir as jaulas no zoo, e conseguiu destravar a fechadura do armário. Pronto, pegou a caixa que abrigava o crânio e saiu correndo pelo corredor. Mas aquelas passagens estavam cheias de obstáculos por conta dos escombros e ele tropeçou e caiu. A caixa que estava em suas mãos voou pelos ares, quando, de repente, seu instinto animal falou mais alto e ele deu um salto tão grande que conseguiu, com suas mãos enormes, resgatar o objeto novamente.

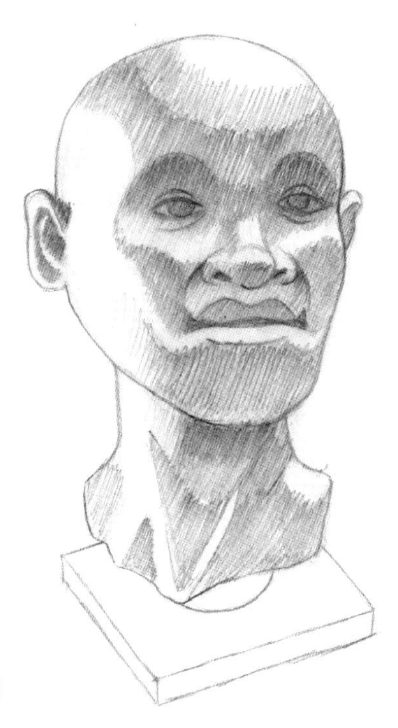

Os bombeiros não acreditaram no que viam. Entreolhavam-se. Estavam boquiabertos com a desenvoltura e a coragem de Lincoln.

Saíram do museu para saber se estava tudo bem com o chimpanzé, pois a fumaça dentro do local era intensa, e ele poderia estar intoxicado, visto que não usou os equipamentos de proteção, e foi muito imprudente. Se fosse um humano agindo assim, talvez não escapasse com vida. Poderia estar seriamente ferido.

Mas ao chegar à porta do museu, os bombeiros viram uma cena magnífica. Lincoln sendo ovacionado por animais e humanos. Todos o aplaudiam. E gritavam:

— Herói, herói.

Ele, lindamente, agradecia mostrando o crânio para todos. Jornalistas, curiosos, funcionários do museu rapidamente começaram a tirar muitas fotos. Lincoln ficou internacionalmente conhecido. Em minutos, sua foto já estava estampada em toda a mídia.

Era preciso, no entanto, ter certeza de que aquele realmente era o crânio de Luzia. Então, um professor de museologia que acompanhava o trabalho confirmou a suspeita: era mesmo Luzia, o fóssil humano mais antigo das Américas, com 12 mil anos. Encontrado na região de Lagoa Santa, em Minas Gerais, na década de 1970, o crânio de Luzia mudou a teoria da ocupação e povoação do continente.

5
Histórias do Palácio

O trabalho foi intenso e árduo a noite toda, mas nunca se viu homens e animais trabalharem com tanta harmonia em prol de uma única causa, como se fossem todos racionais. O macaco Tico, amigo de Lincoln, filosofava enquanto os últimos focos de incêndio eram apagados:

— Irracionais são esses humanos. Correr o risco de perder séculos de história por causa de negligência. Eu teria vergonha se fosse eles.

Tico e Lincoln não tinham noção de dinheiro, mas tinham sabedoria para entender que tudo naquele museu precisava ser preservado.

Enquanto o local ardia em chamas, passava-se um filme na mente de Lincoln. Lembrou-se com carinho do tempo em que passeava de mãos dadas com seu tratador visitando cada cantinho daquele lugar. Recordava-se, ainda, do dia em que fugira e conseguira entrar na área de exposições e acompanhou, escondido, uma visita guiada para alunos de uma escola pública da região. O historiador contou ao grupo que, antes de ser transformado em instituição de pesquisa, em 1892, o prédio, Paço de São Cristóvão, foi ocupado pela família real, entre 1808 a 1889.

O guia contou muitas curiosidades daquela época. Disse que Dom Pedro II nasceu lá, assim como a Princesa Isabel. Lincoln adorou saber que o jardim do Palácio era um dos locais das brincadeiras da princesa. Os bancos foram ornamentados com conchinhas coladas por ela e por sua mãe, Dona Teresa Cristina de Bourbon.

Ali no Palácio também aconteceram os famosos beija--mãos, momentos em que o povo tinha a chance de entrar na suntuosa construção para se aproximar de Dom João, Carlota Joaquina e da família monárquica. E foi naquele palácio que Dom Pedro II aprimorou seus estudos.

O primata descobriu, ainda, que em um daqueles salões foi assinada a Independência do Brasil. Eram tantas lembranças que Tico chegou a ficar tonto e ameaçou desmaiar. A gaivota segurou o amigo e ofereceu-lhe um copo d'água. Era preciso recobrar as forças para continuar ajudando no mutirão. Foi tanta correria, que eles nem sentiram a madrugada passar.

Já de manhã, cercado pela imprensa do país e do exterior, a grande curiosidade era saber o que se perdera e o que fora salvo pelos espertos animais, que estavam muito cansados, encostados nas árvores próximas. Alguns com penas e pelos chamuscados pelo fogo, que finalmente conseguiram debelar, em parceria com o Corpo de Bombeiros e os heroicos trabalhadores do Museu.

De um acervo de 20 milhões de itens, à primeira vista, a impressão é que pouca coisa tinha sido salva. Mas os animais não perderam as esperanças. Ultrapassaram a área de isolamento e foram tentar encontrar relíquias, em meio às cinzas. Não havia tempo a perder.

6

A Importância do Museu

Lincoln e Tico, liderando as buscas, conseguiram resgatar mais de 1.500 itens debaixo dos escombros, como peças das coleções, objetos pessoais, fragmentos arquitetônicos e equipamentos de pesquisa. Os pesquisadores ficaram impressionados com tamanha agilidade.

Alguns materiais de arqueologia, mineralogia e etnologia também foram encontrados pelos animais. Entre eles, peças pré-históricas, pontas de flechas em metal feitas por indígenas do início do século XX, urnas de cerâmica de origem tupi e marajoara, pedras como turmalina negra, além de bonecas Karajá, registradas como patrimônio imaterial do Brasil.

Tudo parecia mais calmo, quando, de repente, um grande estrondo atraiu as equipes para a entrada. Dois tigres conseguiram impedir mais uma tragédia. Uma pilastra ameaçava desabar, mas eles conseguiram segurar até a chegada dos homens da Defesa Civil. Em meio à movimentação, mais uma descoberta. O meteorito Bendegó também estava a salvo. Trata-se do maior exemplar já encontrado no Brasil, pesando mais de cinco toneladas e com idade avaliada em 4,5 bilhões de anos.

Todos comemoraram muito emocionados os dois achados. Até os repórteres choraram junto aos bichos. Até a Hiena se derramou em lágrimas, para a surpresa de todos. Tudo naquele dramático episódio era novidade. Aos olhos humanos, a participação dos animais parecia sobrenatural. Claro que eles foram o grande destaque do noticiário naquele dia.

Após a tragédia, uma nova assembleia foi feita e os planos de fuga foram abandonados.

Os bichinhos viram que eram necessários e importantes ali, mesmo que não fossem valorizados como mereciam. Aquele complexo histórico fazia parte da vida deles e não podiam abandoná-lo.

Nos dias seguintes ao incêndio, técnicos da Defesa Civil e do Corpo de Bombeiros fizeram uma rigorosa inspeção para avaliar os danos. Concluído esse trabalho, a área foi liberada aos pesquisadores. Eles levaram um mês inteiro para reorganizar e catalogar todas as peças resgatadas. Os animais, mais uma vez, ajudaram na tarefa. Eles conheciam muitas particularidades do acervo.

O pinguim, que no zoológico ficava num ambiente especial com ar-condicionado, sabia que seria pesado enfrentar o calor, mas queria dar a sua contribuição por um dia. E não é que ajudou mesmo? Amarrou umas pedras de gelo acima de sua cabeça, como se fosse um capacete de guerra e foi ajudar, cheio de coragem.

Enxerido, ele começou a fuçar a ala onde ficava a exposição com fotos que faziam parte da coleção pessoal do imperador Dom Pedro.

— Misericórdia! Corre aqui, Lincoln. O que será que tem dentro desse baú de ferro? — perguntou o pinguim.

— Nossa, que espetáculo. As fotos de Dom Pedro II estão aqui, intactas. Elas foram tiradas no fim do século XIX, no Egito, e no local onde ficava a cidade de Pompeia, na Itália. Foram compradas pelo imperador e sua esposa entre 1871 e 1888.

— Viu? Lincoln também é cultura — disse o macaco, sem deixar o amigo perceber que estava lendo as informações no verso das fotos.

— Muito interessante, mas aposto que você não sabe que aqui tem registro até do templo de Ramsés II — gabou-se o pinguim.

A brincadeira entre eles continuou, mas sem perder o foco no principal objetivo. Até que, na garimpagem, a turma do zoo encontrou inúmeros itens da exposição permanente de conchas, corais, borboletas e crustáceos. Um milagre foi ver intacto o caranguejo gigante com 2,4 metros, que era uma das sensações entre os visitantes.

Tudo que eles achavam, passavam para a análise dos pesquisadores e estudantes voluntários. E, assim, conseguiram catalogar todo o material.

7
Resiliência

Nesse meio tempo, o governo federal finalmente liberou a verba para a reforma. Instituições de pesquisa estrangeiras também enviaram recursos para as obras. O financiamento internacional incluiria a ampliação do Museu, com uma nova ala para abrigar as doações de peças raras, que começaram a chegar de várias partes do mundo. Acertou-se que a mudança seria acompanhada por técnicos do Instituto do Patrimônio Histórico e Artístico Nacional (Iphan) para garantir que as alterações não comprometessem as características originais do prédio.

Poucos dias antes de a obra começar, os bichos foram presenteados com uma bela notícia.

Uma empresa ligada a ONGs de preservação do Meio Ambiente decidiu apadrinhar os animais e bancar uma reforma no zoológico. Já que a população ganharia um novo museu, por que também não ganhar um novo zoológico? Todos vibraram com a novidade.

Eles fariam parte de um projeto inovador. A área dos visitantes seria reduzida, e os animais, em vez de jaulas, passariam a dividir áreas mais amplas, similares aos seus *habitats* naturais. Elefantes, ursos e animais marinhos ganhariam lagos climatizados e tanques transparentes. Seria criado um centro de educação ambiental e conservação de espécies em risco de extinção, com visita guiada de escolas e convênios de pesquisa com universidades.

Tanto no Museu quanto no zoológico, as obras correram muito rápido e logo chegaram ao fim. As duas inaugurações foram marcadas para o mesmo dia.

Foi uma grande festa: crianças, famílias e a imprensa disputavam cada espaço da Quinta da Boa Vista. Os jornalistas ficaram impressionados com a vitalidade do parque: o Museu voltou a exibir sua suntuosidade e o zoológico ficou parecendo um paraíso, tamanho o espaço livre que os animais ganharam. Até as árvores do Paço Imperial ficaram mais viçosas. A vida voltava a pulsar naquele lindo local.

Lincoln ganhou uma homenagem dos bombeiros. Por seu ato heroico e de coragem, foi condecorado com uma linda medalha.

Agora, ele era membro animal do Corpo de Bombeiros. Realizou um curso de primeiros socorros e ganhou equipamentos especiais de proteção. Foi uma emoção para todos.

Os bichos, apesar de satisfeitos com as mudanças, fizeram questão de continuar colaborando para garantir a preservação do Museu. Eles não sabiam que para fazer a reforma era preciso dinheiro, nem que seria necessário garantir uma verba fixa para a manutenção das instalações e do acervo. A maneira que encontraram de ajudar foi organizar uma escala, em turnos, para percorrer as instalações, a fim de garantir que nenhum incidente ou tragédia de maiores proporções voltasse a acontecer naquele espaço. No final de cada dia de intensa visitação, os que estavam fora da escala, dormiam em paz descansando para a sua jornada.

Os escalados acompanhariam os vigilantes humanos todos os dias. Afinal de contas, numa emergência, tinham habilidades que poderiam ser muito úteis. Para todos do zoológico, o patrimônio histórico era importante. Tinha muito valor.

Tanto que eles adotaram o lema dos Três Mosqueteiros com uma pequena modificação, que muitos dos visitantes liam e comentavam nas sombras próximas de suas jaulas: "Um por todos e todos pelo Museu Imperial".

O revezamento foi feito e todos cumpriam a escala sem reclamar, com o prazer do dever cumprido. Assumiram o compromisso de que, enquanto vivessem, seriam os guardiões daquele espaço tão importante. Eles tinham consciência, compromisso e amor pelo Brasil, pelo seu povo e por seu acervo histórico.

No dia do fatídico incêndio, conseguiram evitar que algo pior acontecesse, e depois desse dia, decidiram que seriam os guardiões daquele lugar. Uma tradição que passaria de geração em geração, para sempre.

Curiosidade: essa história é uma fábula. Mas quem garante que o motivo do mal-humor do Tião, o macaco da história real, não fosse mesmo o fato de estar enjaulado como todos os outros animais do Zoo?

Atualmente, logo na entrada do zoológico do Rio de Janeiro, existe uma estátua em sua homenagem.

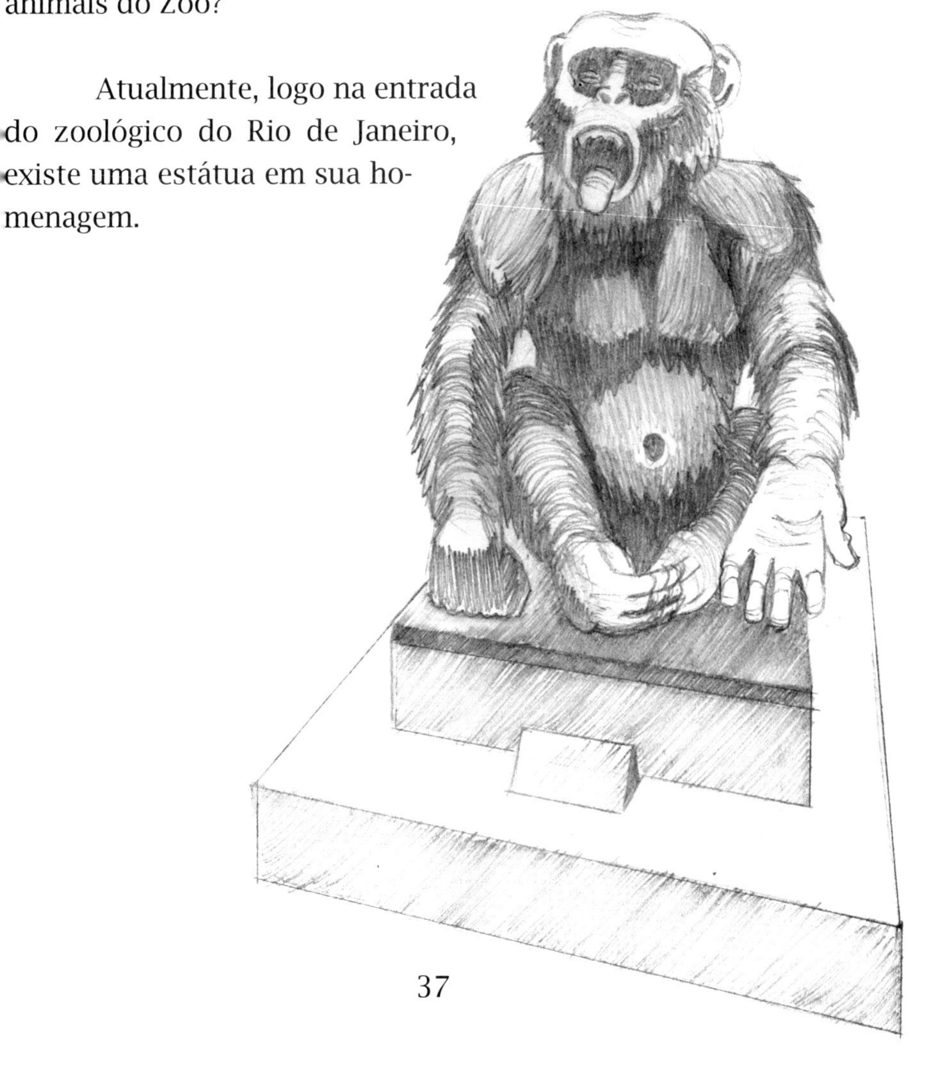

Acervo Perdido

Objetos da cultura indígena, cultura afro-brasileira e culturas do Pacífico.

Urna, Cerâmica Marajoara - Ilha de Marajó.

Máscara Tikuna - representação de Maca

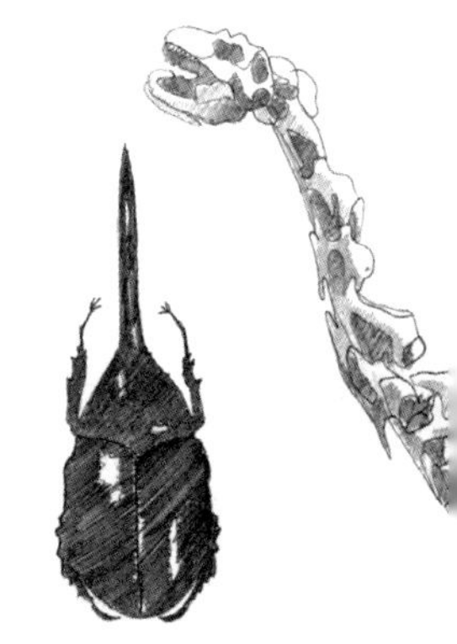

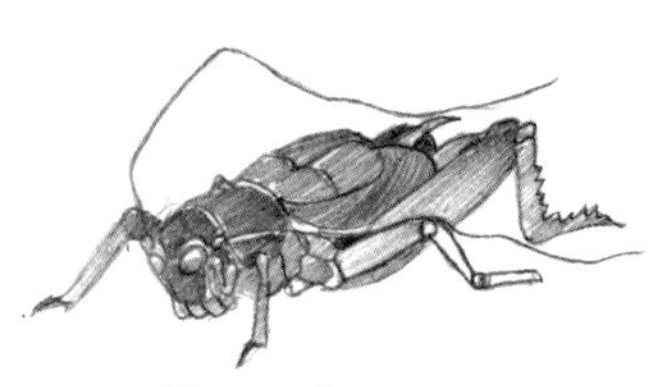

Titanogryllus oxente - grilo gigante.

Coleoptera Cerambycidae Comumente, "Serra pau".

Scarabaeidae Dynastes, "Besouro rinoceronte".

Lepidoptera Rothschildia aurota spewlifera, o "bicho da seda" brasileiro.

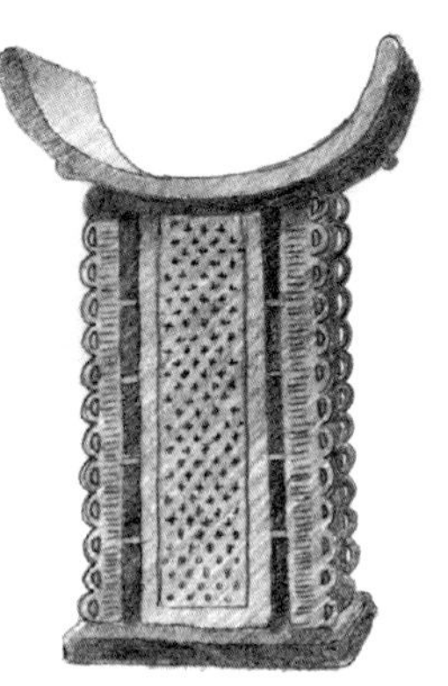

Trono de Daomé - África.

Trono de D. Pedro II Sala do Trono.

Caixão de Sha-Amun-en-su
- Egito antigo.

Mobiliário antigo de uma das salas do
Palácio Paço Imperial de São Paulo.

Peças da Exposição Arqueologia do Resgate - peças recuperadas.

Dinossauro *Maxakalisaurus* topai

Caranguejo gigante japonês

Sobre a Autora

Meu nome é Isa Colli, muito prazer em conhecer você! Sou uma verdadeira caipira, nascida no interior de Presidente Kennedy, Espírito Santo, que atualmente vive na cidade grande. Até quando eu não sei.

Amo a natureza, amo plantar, colher e, principalmente, comer aquilo que planto. Antes de mudar-me para a Bélgica, eu tinha minha própria hortinha, pois, além da literatura, também herdei esse hábito da minha mãe. Minha "véinha" querida não pode ver um pedaço de terra sobrando que logo arruma uma muda de fruta, de roseira ou qualquer coisa que possa ser plantada. Ultimamente, ela cuida dos lotes de amigos ao redor da nossa casa, em Marataízes, no Espírito Santo, cultivando acerola, manga, coco e abacate, até hortaliças e legumes. Ah, ela tem também as bananeiras, das quais nunca dou sorte de comer uma bananinha sequer, quando estou no Brasil. Pirracenta, a "véinha" não gosta de apressar o tempo das coisas. Ela deixa as frutas amadurecerem no tempo certo e, quando as bananas estão boas para comer, já estou de volta à Bélgica, em casa.

Aqui, como ainda não tenho muito costume com plantio em razão do clima frio, fico feliz com os pés de pera, cereja, maçã e um canteiro de suculentos morangos.

Meu espírito inquieto levou-me a morar em vários lugares. O mais incrível de tudo isso é que em cada um desses lugares deixo minha marca. Já fui cabeleireira, maquiadora e jornalista. Fiz programa de rádio, fui administradora de empresa e, durante todo esse tempo, nunca parei de escrever. O que gosto mesmo de fazer é inventar histórias.

Arquivo pessoal

Sobre o Ilustrador

Oi! Sou o Alexandre Ostan e tenho 46 anos. Sou casado e tenho duas filhas. Moro em Jundiaí, interior de São Paulo, e desde sempre me interessei por desenhos animados e histórias em quadrinhos. Eu era aquele garoto cheio de espinhas que sentava no fundão da sala de aula, desenhando caricaturas de colegas e professores, sempre tímido e retraído.

Como não tinha muito tato social, eu passava a maior parte do tempo desenhando em casa. Fiz um curso para aprender os métodos e também aprendi design gráfico, quando os computadores começaram a entrar na jogada. Trabalho profissionalmente com desenho há mais de 25 anos. Inicialmente em pequenas agências de propaganda na minha cidade. Fazia logotipos, jornais, cartuns, histórias em quadrinhos, etc.

Depois de algum tempo entrei no mercado editorial, e realizei meu grande sonho de ilustrar livros infantis. É muito gratificante ver uma criança aprendendo e viajando numa obra que teve o seu esforço envolvido. Não é uma tarefa fácil. Além de todos os anos de estudo e aperfeiçoamento das técnicas de ilustração, é um trabalho que exige muita imaginação e sintonia com o mundo das crianças e com as ideias dos autores. Neste sentido, é muito bom trabalhar com a Isa Colli, pois sempre tivemos essa reciprocidade artística que tem gerado lindas obras.

Pretendo continuar oferecendo minha arte para dar vida a estes maravilhosos mundos que os escritores nos presenteiam. Até mais!

Arquivo pessoal

FIM